¿Qué necesitan los seres vivos?

Hogares

Vic Parker

Heinemann Library
Chicago, Illinois

© 2006 Heinemann Library
a division of Reed Elsevier Inc.
Chicago, Illinois

Customer Service 888-454-2279

Visit our website at www.heinemannraintree.com

Printed and bound in China by South China Printing Company Limited
Translation into Spanish produced by DoubleO Publishing Services
Photo research by Ruth Blair and Andrea Sadler

10 09 08 07 06
10 9 8 7 6 5 4 3 2 1

Library of Congress Cataloging-in-Publication Data

Parker, Victoria.
  [Homes. Spanish]
  Hogares / Vic Parker.
      p. cm. -- (Que necesitan los seres vivos?)
  Includes index.
  ISBN 1-4034-8523-2 (hb - library binding) -- ISBN 1-4034-8529-1 (pb)
  1. Animals--Habitations--Juvenile literature. 2. Dwellings--Juvenile literature. I. Title. II. Series.
  QL756.P3118 2006
  591.56'4--dc22

                                            2006000808

Acknowledgments
The author and publishers are grateful to the following for permission to reproduce copyright material: Alamy p. **18**; Corbis pp. **9**, back cover (mobile home); FLPA pp. **7** (Minden Pictures), **14** (Mark Newman), **15** (Martin B. Withers), **16** (Minden Pictures), **17** (Jurgen & Christine Sohns), **19** (M. Newman), **20** (David Hosking), **21** (Ray Bird), **22** (C. Carvalho), **23** (meerkat, Jurgen & Christine Sohns), **23** (lodge, M. Newman), **23** (nest, Martin B. Withers), **23** (mound, Minden Pictures), **23** (rain forest, Minden Pictures), back cover (hermit crab, C. Carvalho); Getty Images pp. **4** (Taxi), **5** (Stone), **6** (Digital Vision), **11** (Stone), **12** (The Image Bank), **13** (Stone); Still Pictures p. **8**; Taxi (Getty Images) p. **10**.

Cover photograph reproduced with permission of Photolibrary.com.

Every effort has been made to contact copyright holders of any material reproduced in this book. Any omissions will be rectified in subsequent printings if notice is given to the publisher.

Many thanks to the teachers, library media specialists, reading instructors, and educational consultants who have helped develop the Read and Learn/Lee y aprende brand.

Contenido

Algunas palabras aparecen en negrita, **como éstas.** Puedes encontrarlas en el glosario ilustrado de la página 23.

¿Qué es un ser vivo?

Los seres vivos son cosas que crecen.

Las personas, los animales y las plantas son seres vivos.

vivo

no vivo

¿Qué cosas en esta imagen están vivas? ¿Cuáles no?

¿Qué es un hogar?

Un hogar es el sitio donde vive una cosa.

El hogar de esta anguila es una cueva en el mar.

El hogar de una planta es el sitio donde crece.

Estas plantas crecen en **bosques tropicales** donde hace calor y llueve mucho.

¿Cómo son los hogares de las personas?

Todos los hogares son diferentes.

Algunas personas viven en casas.
Otras viven en apartamentos.

Algunas personas viven en casas móviles.

Estas personas pueden llevar su hogar de sitio en sitio.

¿Por qué necesitan hogares las personas?

Necesitamos un hogar donde comer, jugar y dormir.

Necesitamos un hogar para protegernos del tiempo.

¿Cómo construyen sus hogares las personas?

troncos

Las personas construyen sus hogares con lo que tienen a su alrededor.

¿Sabes de qué está hecha esta cabaña?

Esta persona ha usado barro seco
para construir su hogar.

¿Necesitan hogares los animales?

Muchos animales necesitan un hogar donde poder dormir y comer.

Este oso duerme en una cueva llamada guarida.

Muchos animales necesitan un hogar para sus crías.

Este ratón tiene a sus crías dentro de un **nido** seguro.

¿Protegen los hogares a los animales?

montículo

Algunos animales tienen hogares que los protegen del tiempo.

Los insectos llamados termitas están a salvo del caluroso sol en estos **montículos.**

madriguera

Algunos animales tienen hogares que los protegen de otros animales.

Estas **suricatas** viven en agujeros bajo el suelo llamados madrigueras.

¿Cómo consiguen sus hogares los animales?

Algunos animales buscan sus hogares.

Mira debajo de una roca o de un tronco en un jardín. ¿Qué vive allí?

cabaña

castor

Otros animales construyen sus hogares.

Un castor construye su **cabaña** con troncos y barro.

¿Qué animales construyen sus hogares?

Los pájaros construyen muchos tipos de **nidos.**

Las golondrinas construyen sus nidos con barro, hojas secas y plumas.

Las avispas trabajan juntas para construir un nido llamado avispero.

Un avispero está hecho de trozos de plantas.

Adivínalo

¿Sabes cuál es el hogar del cangrejo ermitaño?

El cangrejo ermitaño vive en una concha marina.

Glosario

cabaña hogar que construyen los castores con troncos y barro

suricata animal pequeño y peludo de cola larga que vive en África

montículo el hogar que construye un tipo de insecto llamado termita que vive en países cálidos

nido hogar que construyen los pájaros u otros animales con ramitas y hierba

bosque tropical una selva cálida y húmeda

Índice

Nota a padres y maestros

Leer textos de no ficción para informarse es parte importante del desarrollo de la lectura en el niño. Se puede animar a los lectores a hacer preguntas simples y después usar el texto para encontrar las respuestas. La mayoría de los capítulos en este libro comienzan con una pregunta. Lean juntos las preguntas. Fíjense en las imágenes. Hablen sobre cuál puede ser la respuesta. Después lean el texto para ver si sus predicciones fueron correctas. Para desarrollar las destrezas de investigación de los lectores, anímenlos a pensar en otras preguntas que podrían hacer sobre el tema. Hablen sobre dónde podrían hallar la respuesta. Ayuden a los niños a usar la página del contenido, el glosario ilustrado y el índice para practicar destrezas de investigación y un nuevo vocabulario.